Saâdi

Le Jardin des Fruits

Histoires édifiantes et spirituelles

Traduit du persan
par Franz Toussaint

Gallimard

Ce texte a été publié aux Éditions du Mercure de France.

Musluh al-Dîn est né en Perse, à Chirâz, vers 1200. Il fut l'un des plus grands poètes persans de l'époque médiévale. Son surnom de Saâdi signifie « lieutenant de Saad », de sa'da, qui signifie « être heureux ». Issu d'une famille de théologiens, il étudie à Bagdad dans l'une des plus prestigieuses universités d'Orient. Il voyage ensuite en Irak, en Syrie et au Hedjaz, où il entreprend plusieurs pèlerinages à La Mecque. Vers le milieu du siècle, il s'installe à Chirâz. Il y achève dans les années 1257-1258 la rédaction de ses deux recueils d'anecdotes et de réflexions morales les plus connus : le *Bûstan* (*Le Jardin des Fruits*) et le *Gulistân* (*Le Jardin de roses*), cette dernière œuvre, traduite dès 1634, ayant initié l'Occident à la poésie persane. Selon Dawlatchah, un de ses biographes, Saâdi aurait consacré trente ans de sa vie à l'étude, trente ans aux voyages et trente ans à méditer et à écrire. Il meurt aux alentours de Chirâz vers 1292.

Cette traduction est dédiée à Gabriel Soulages.

F. T.

LA MORT DE SAÂDI

En 1292, le troisième jour du mois de Djemazi-el-Ewel, qui correspond à notre mois de novembre, le bruit se répandit, dans Chirâz, que Saâdi allait mourir. C'était le matin. On attendait l'arrivée d'une caravane de Bouchir. Les rues, le bazar immense regorgeaient de monde. Aussitôt, les rues se vidèrent. La vie du bazar s'arrêta. Dans le quartier des ciseleurs de cuivre, le bruit assourdissant des marteaux s'éteignit ; dans le quartier des marchands de tapis, les échoppes se fermèrent ; et le quartier des selliers, si animé, devint lugubre… Désolée, mais silencieuse, la foule s'endiguait déjà dans l'avenue qui menait à l'ermitage de Saâdi, situé sur la berge du Rokanabâd, la rivière paisible. Soudain, au moment que la multitude défilait devant la mosquée du Vendredi, un long cri passionné fusa du minaret : « Allah ou Akbar ! » *Dieu est grand !* Deux fois, le derviche répéta l'invocation sacrée… Lorsque sa dernière syllabe s'effilocha dans l'azur, dix mille Chirâziens, le front dans la poussière, priaient.

L'annaliste, qui relate ce détail, mentionne qu'à cet instant Saâdi murmura :

— *Je viens d'entendre le muezzine... Serait-ce l'heure de la prière troisième ? Pourtant, l'ombre de mon cyprès n'a pas atteint le milieu du jardin...*

Le poète Azrâhi, son meilleur ami, qui pleurait dans un coin de la chambre, lui répondit doucement :

— *Ce n'est pas l'heure de la prière troisième, puisque l'ombre du cyprès bleuit encore le bassin... mais le derviche qui a chanté est un derviche scheb-gouk*[1]. *Il ignore nos usages. Cependant excuse-le, car il a demandé au Seigneur d'étendre sur toi sa bénédiction.*

— *Mes frères*, articula Saâdi, *posez sur la fenêtre ce bouquet qui manque d'air dans cette pièce ; ensuite, malgré mon indignité, tournez mon visage vers la Kaaba, et faites dire au derviche schebgouk...*

Il étouffait. Azrâhi et Abou Yakout le frictionnèrent avec de l'huile de santal. Enfin, il termina :

— *Faites dire au derviche de venir me parler.*

Azrâhi et Abou Yakout, Beïtar et Habib Rayi, qui assistaient l'illustre moribond, se regardèrent. Fallait-il lui avouer le pieux mensonge, ou mettre dans la confidence le muezzine, lequel n'était autre que Thâlim, le Grand Derviche de Chirâz, ami très intime de Saâdi ? On laissa faire à Dieu, et Beïtar sortit.

Maintenant, la foule entourait l'ermitage. Son silence était tel — raconte l'historien — que l'on per-

---

1. On appelait *schebgouk* une classe particulière de derviches qui montaient sur le minaret des mosquées de village et récitaient des prières en faveur des habitants les plus riches, afin d'en obtenir quelque aumône.

cevait les roucoulements d'une tourterelle perchée
dans le cyprès du poète.

Vers la onzième heure, comme le peuple attendait
toujours, une jeune fille gravit l'escalier de l'ermitage, frappa discrètement à la porte, et dit à Yakout
qui vint lui ouvrir :

— Je m'appelle Naziâd. C'est le nom d'une jeune
fille que Saâdi a chantée dans le Gulistân... D'ailleurs,
il me connaît et il m'aime. Veux-tu me laisser entrer ?
Je ne prononcerai pas un mot, je ne déplacerai pas
l'air qu'il respire, mais je le verrai et je pourrai parler
de lui.

— Suis-moi..., fit Yakout.

Elle cueillit une des roses du rosier grimpant qui
drapait de pourpre le mur de la petite maison, et,
derrière le Syrien, elle pénétra dans la chambre où
haletait, sur un grabat de jonc, celui qui avait mori-
géné des rois.

Le peuple ne pouvait croire à la fin prochaine de
Saâdi. Depuis de nombreuses années, les Persans,
avec leur inclination au merveilleux, tenaient
l'auteur du Gulistân pour un être unique, doué de
facultés surnaturelles. On affirmait que le prophète
Khizr, souvent, pendant son sommeil, venait humec-
ter ses lèvres d'eau puisée à la source de l'Immorta-
lité. On prétendait aussi que Simoûrgh, l'oiseau
fabuleux, conversait avec lui...

Donc, Naziâd s'approcha de sa couche, et Habib
dit :

— Voici Naziâd, qui t'apporte les vénérations de
Chirâz.

Saâdi essaya de sourire, pour répondre :

— *Il est bien que ma ville m'envoie une de ses plus belles roses...*

Dans son trouble, la jeune fille n'entendit que le dernier mot de la phrase. Elle crut que le poète parlait de la rose qu'elle tenait.

— *Je l'ai cueillie sur ta porte*, balbutia-t-elle.

Il recommença :

— *Ma ville m'envoie sa plus belle rose... Viens près de moi, Naziâd.*

Déjà, l'ombre du cyprès ternissait l'éclat du massif de sauges qui était au centre du jardin, et l'ombre de la mort envahissait l'esprit de Saâdi. Il prit la main de la jeune fille, en murmurant :

— *Je savais bien que tu viendrais... Comme tu es belle, toujours ! Te rappelles-tu le matin où nous avons eu si peur ? Tu te blottissais contre moi... tu me suppliais de ne pas aller ouvrir la porte...*

Il se tut. Il savourait un souvenir qu'il avait immortalisé dans le *Gulistân*, un souvenir vieux de quatre-vingts ans, et qu'il croyait d'hier ! Ses amis, le cœur déchiré, sanglotaient au pied du grabat. Cependant, Yakout dit à Naziâd :

— *Ne le désillusionne pas... Il te prend pour l'autre, et ce sera ton éternelle gloire.*

Noyé dans son extase, les yeux clos, Saâdi continua :

— *Tu as toujours l'odeur d'une branche d'aubépine... Vers quel été es-tu parti, ô mon printemps ? Pourquoi m'as-tu quitté ? Depuis, je suis allé très loin, mais le temps a vite passé, car ta chère image m'accompagnait. Et tu es là ! C'est bien toi... Naziâd ? Il y a encore des jasmins autour de la fontaine Azmeh... Nous y retrouverons les couronnes que tu tressais pour les poser sur mon front. Les couronnes… tu te rappelles ?*

Tout à coup, parce que la torche répand une clarté plus vive lorsqu'elle achève de se consumer, sa lucidité revint :

— Naziâd, fit-il, d'une voix nette, tu diras à mes frères de Chirâz que le visage de la Mort est doré comme la dernière grappe de la treille, comme l'épaule de la lune dans un crépuscule d'automne. Tu leur diras que le baiser de sa bouche, seul, étanche la soif du danseur, et que son chant mélancolique est le chant de la lyre de Dieu… Jadis, à une jeune fille qui avait ton nom, j'ai appris ce rubâï du grand Khayyâm : « Nous ne sommes qu'une procession de formes imaginaires. Nous errons, çà et là, autour de cette lanterne : le soleil, que le Maître du spectacle tient au milieu de la nuit. Nous ne sommes que les pièces inertes de la partie qu'il joue sur l'échiquier des Jours et des Nuits, pièces qu'il fait marcher, qu'il arrête, qu'il tue, puis qu'il replace une à une dans la boîte ! » Surtout, petite, tu répéteras à mes frères ce que je leur ai dit souvent, tu leur répéteras que l'amour est un miroir où se reflète la face du Seigneur. Qu'ils aiment ! Qu'ils s'offrent, d'une âme enivrée, aux effeuillements des douleurs ! Et pareilles aux brises qui restent embaumées des lilas qu'elles ont meurtris, leurs souffrances iront parfumer la solitude de Dieu…

Sa tête retomba. Il n'était plus.

Ainsi mourut Saâdi, le troisième jour de Djemazi-el-Ewel, qui est le mois funeste aux fleurs.

FRANZ TOUSSAINT

PRÉFACE DE SAÂDI

Au nom du Dieu qui a créé notre âme ! Au nom du Dieu qui nous a donné la parole !

Au nom du Dieu clément qui daigne jeter un voile sur nos fautes et écouter nos sanglots de repentir !

Au nom du Dieu puissant, du Dieu glorieux, qui nous a tracé des voies dont nous ne pouvons nous écarter, sous peine de tomber dans la honte et le malheur !

Tous les rois de l'univers baisent avec humilité le parvis de Son temple. Pour Lui, l'Océan n'est qu'une goutte de rosée, et la terre qu'un grain de sable.

Dieu est le Sultan des étoiles. Cependant, Il abaisse Son regard jusqu'à nous !

Dieu a paré la terre de fruits et de fleurs. Il a voulu que la terre soit une immense table où tous les hommes peuvent s'asseoir. Au sommet du mont Kaf, le Simoûrgh, l'oiseau gigantesque, trouve même à se rassasier.

Dieu sait pourvoir à la nourriture des êtres les plus faibles. Dieu ne laisserait pas mourir de faim un serpent ou une fourmi... Et sa gloire est telle, qu'Il peut mépriser les adorations des génies et des hommes. Tout ce qui respire, hommes, oiseaux, fourmis, et vermisseaux obéissent à Ses lois. Il est la Puissance. Il est l'Unité. Il est la Justice. À cet inconnu, Il donne un royaume. Ce roi, Il le détrône. À certains, Il confère la couronne du bonheur. À d'autres, Il envoie le cilice du malheur.

Lorsque Dieu brandit le sabre de Sa colère, les anges sont terrifiés et se taisent. Mais, quand Il fait annoncer que les hommes et les Chérubins peuvent s'approcher de la table de Ses délices, Azazîl lui-même, le Réprouvé, accourt.

Le Seigneur connaît les secrets de l'avenir. Tous les êtres vivants Lui obéissent, et tous ceux qui naîtront dans le cours des siècles. Il est l'Éternel.

Dans le sein de cette jeune mère, Il a tracé, avec le pinceau du Destin, une image incomparable, et, chaque jour, Il ajoute à la beauté de cette image. Connaissez-vous quelqu'un qui serait capable de transformer ainsi une goutte de sang, qui serait capable de peindre sur du sang ?

Il guide le soleil et la lune entre l'Orient et l'Occident. Des eaux tumultueuses, Il a fait émerger la terre, et les montagnes sont les clous qu'Il a plantés dans son écorce, pour la fixer.

Il a incrusté des émeraudes et des rubis dans les profondeurs des rochers. Il a posé les rubis des fleurs dans l'émeraude des verdures. Dans l'immense Océan, Il laisse tomber la goutte d'eau de la pluie, et, dans le sein de la femme, la goutte de la semence qui crée : une perle lumineuse naît de la première, une créature svelte et noble naît de la seconde.

D'une seule parole, Dieu a formé le monde. Il plonge les créatures dans le néant et les y laisse jusqu'au jour glorieux de la Résurrection.

Nous ne pouvons définir Dieu, mais il nous est possible de chanter Sa divinité.

Nos pensées ont beau prendre leur vol, elles ne se rapprocheront jamais du souverain Maître. Des milliers de navires ont sombré dans cet abîme... De tant de naufrages aucun souvenir n'est resté. Les nuits que j'ai passées à frissonner devant cet infini, je ne les compte plus. L'homme, voyez-vous, ne peut marcher longtemps sur cette route sans terme ! Il doit jeter ses armes et fuir. Si, par hasard, un coureur réussit à pénétrer dans la cité des mystères, les portes se referment sur lui, et il ne revient pas. Dans les coupes qui circulent entre les convives de ce banquet, on a versé les philtres de l'extase et du vertige... Personne n'a encore admiré les trésors de Karoûn, ou, si quelqu'un les a vus, cet homme n'a jamais reparu vivant.

Ô mon frère ! toi qui médites de te lancer sur cette route, renonce à revenir et coupe les jarrets de ton cheval !

Penche-toi sur le miroir de ton cœur : tu goûteras une félicité parfaite. Alors, peut-être, un parfum céleste t'enivrera. Alors, peut-être, tu ne songeras plus qu'à tes devoirs envers Dieu... Et ton âme, ailée d'amour, finira par atteindre les prodigieux sommets où la Vérité déchirera, de ses mains de lumière, le voile de ton intelligence.

Seul, le Prophète a eu l'audace de tourner la proue de sa nef vers le large de la mer qui engloutit les navigateurs présomptueux. Sache bien cela, Saâdi ! Si tu veux sauver ton âme, engage-toi dans le chemin qui garde les traces des pas de Mohammed...

Ô Mohammed ! Aucun homme n'a été ton égal en noblesse et en bonté. Tes prophéties ont enflammé des peuples ! Ô Mohammed, confident du Seigneur, tu as intercédé auprès de Lui pour les humains, tu as prédit la Résurrection, tu nous montres le chemin à suivre, et tu nous verras comparaître devant le tribunal de Dieu ! Comme Moïse, tu as vu la face du Seigneur, mais ton Sinaï est le ciel ! Toute lumière vient de toi ! Sous le choc de ton glaive terrible, la lune s'est fendue. Tu as renversé les idoles, tu as supprimé le Pentateuque et l'Évangile !

Maintenant, grâce à toi, ô Prophète, nous ne sommes plus les esclaves du péché. Comment te remercier !

Ô Mohammed, Mohammed, je me prosterne devant ta majesté, je prononce les noms sacrés des enfants de Fatima ! Je te supplie de permettre que je meure en murmurant : *La illa ill Allah !* Tu peux mépriser ma prière ou l'exaucer... je resterai toujours Ton esclave.

Prophète ! dans les Jardins du Paradis, ta gloire serait-elle diminuée, si quelques obscurs mendiants étaient admis à goûter aux délices éternelles ? Dieu t'a comblé de ses bienfaits, Gabriel a baisé tes pieds, et l'éclat de ta gloire a terni l'éclat du soleil. Quand l'homme n'était pas encore sorti

du limon, tu existais ! Mais je renonce à célébrer ta
grandeur, car je n'y réussirais jamais ! Et les chants
de Saâdi sont tellement imparfaits ! À toi mon salut
et mes brûlantes prières, ô Mohammed !

*

J'ai parcouru les pays les plus lointains, j'ai vu
les peuples les plus divers ; maintenant, de toutes
les moissons que j'ai faites, il me reste de splen-
dides gerbes.

J'ai parcouru les pays les plus lointains, et je puis
dire que je n'ai trouvé qu'à Chirâz (que Dieu protège cette ville !) des cœurs nobles et droits. Chirâz,
comme il faut t'aimer, pour oublier la Syrie et
Roûm ! « Les voyageurs qui reviennent d'Égypte,
pensais-je, rapportent à leurs amis du sucre de ce
pays… Moi, qui sors d'un si beau Jardin, puis-je
revenir vers mes amis, les mains vides ? Je ne leur
offrirai pas du sucre, mais des récits de cette savou-
reuse douceur que les savants trouvent aux livres. »

Je dédie ce Jardin à la Sagesse, et tu pourras,
lecteur, y pénétrer par dix portes.

J'ai achevé ce livre au cours d'une année heu-
reuse, entre deux fêtes, un jour que la température
était douce. Dans ce précieux écrin, j'ai amoncelé
des bijoux. Cependant, je baisse la tête avec honte,
car je sais que la mer recèle à la fois des perles et
d'affreux coquillages, et les jardins des arbres puissants près d'arbustes chétifs.

Lecteur intelligent et sage, je te rappelle que
l'homme doit s'abstenir de critiquer à la légère.
Une robe de soie ou de brocart a toujours une

doublure... Si tu estimes que cette robe-ci n'est pas de soie, ne te mets pas en colère, et cache sa doublure avec bienveillance. Je ne m'enorgueillis point de mon mérite... Au contraire, je sollicite ton indulgence.

On assure qu'au jour de la Résurrection, Dieu pardonnera aux méchants, en faveur des justes. Donc, si tu blâmes quelque chose dans mon livre, imite la bonté du Créateur. Si tu n'aimes qu'un seul de mes vers, je m'estimerai heureux... Ces poèmes, je le reconnais, seront sans doute aussi peu appréciés en Perse que le musc au Khotén... De même qu'il faut entendre de loin les roulements des tambours de guerre, je gagnerai à ce que mon nom soit prononcé au delà de ma patrie. Avec les années, aussi, les défauts de cet ouvrage s'atténueront.

Saâdi a la présomption d'ajouter des roses au rosier, du poivre aux poivriers de l'Indoustân... Son livre est une datte délicieuse, qui ne contient qu'un noyau.

*

LES DIX PORTES DU JARDIN DES FRUITS

La Justice
La Bonté
L'Amour mystique
L'Humilité
La Résignation
Le Renoncement

L'ÉDUCATION
LA RECONNAISSANCE ENVERS DIEU
LE REPENTIR
PRIÈRES

PREMIÈRE HISTOIRE

L'amour

Un homme vit une jeune fille admirablement belle, et, aussitôt, l'amour embrasa son cœur. Comme la rosée emperle les feuilles d'une plante printanière, une sueur glacée ruisselait sur les joues de cet homme. Hippocrate, qui passait à cheval, s'informa des causes de son malaise.

Quelqu'un lui dit :

— L'infortuné que tu contemples est un saint derviche. Jusqu'à ce jour, il vivait dans la solitude et la prière, mais une jeune fille a volé son cœur, et l'implacable Amour a jeté un voile sur ses yeux. Lorsque nous lui reprochons de céder ainsi à la douleur, il nous répond avec colère : « Taisez-vous ! J'ai raison de me plaindre, car la beauté de cette jeune fille m'a rendu fou. »

Le célèbre Hippocrate dit alors :

— Le langage de notre frère est loin d'être aussi admirable que son ancienne vertu. Dieu a-t-il créé

une femme si belle, uniquement pour que ce derviche s'abandonne aux ivresses de l'amour ? Pourtant, son admiration pouvait aussi bien aller à un
nouveau-né... La beauté d'un enfant à la mamelle
vaut la beauté d'une jeune fille. Tout homme sensé
reconnaît qu'un dromadaire est une créature aussi
parfaite que les ravissantes danseuses de la Chine
et du Turkestân.

*

Si, comme Saâdi, tu n'as des maîtresses qu'en
songe, tu es à l'abri des chagrins et des désillu-
sions.

DEUXIÈME HISTOIRE
La bague du Khalife

Un célèbre savant racontait que le fils d'Abd-el-
Azîz possédait une bague d'une valeur inestimable.
Dans les ténèbres, le chaton de cette bague étince-
lait à ce point que l'on cherchait le soleil.

Le destin voulut que le peuple eût à souffrir
d'une horrible famine. Devant tant de souffrances,
le fils d'Abd-el-Azîz pouvait-il rester insensible et
jouir des plaisirs de la vie ? Lorsque le poison
incendie le gosier d'un homme, peut-on, près de
lui, boire avec plaisir une gorgée d'eau fraîche ?

Ému des tortures qu'enduraient tous ces malheureux, le Khalife, afin de pouvoir leur distri-
buer du blé, décida de vendre sa bague. L'argent

qu'il tira de cette vente fut dépensé en huit
jours.

Des courtisans blâmèrent la prodigalité du
prince : « Plus jamais, lui dit-on, une pareille bague
n'ornera ta main ! » Comme de la cire brûlante ses
larmes ruisselèrent sur ses joues, et il répondit :

— Lorsque la faim déchire les entrailles du
peuple, le luxe du monarque est honteux. Je me
console de porter une bague sans chaton, mais je
ne pourrais voir souffrir mes sujets...

Que Dieu étende sa bénédiction sur l'homme qui
sacrifie son bonheur à celui de ses semblables ! Un
cœur noble ne veut pas d'un bonheur qu'il arrache
à autrui. Lorsque le Khalife s'oublie dans les
délices, il est impossible que les pauvres goûtent le
repos. Un bon souverain doit faire en sorte que le
sommeil de ses sujets ne soit pas troublé.

Loué soit Dieu, qui nous a donné un prince ver-
tueux et sage ! Sous le règne d'Abou Bekr, fils de
Saâd, notre pays n'aura eu à souffrir que des dis-
cordes provoquées par les belles jeunes filles...

*

Hier soir, dans une réunion de poètes, la douce
musique de ces vers a bercé mon cœur :

« Je n'avais jamais eu d'instants plus délicieux !
Cette nuit, je pressais mon amie sur ma poitrine,
et je regardais ses yeux, enivrés de sommeil. Je lui
dis : "Bien-aimée, ô mon svelte cyprès, ce n'est pas
le moment de dormir ! Chante, ô mon rossignol !

Que ta bouche s'entr'ouvre comme une rose s'épa-
nouit ! Ne dors plus, trouble de mon cœur ! Je veux
que tes lèvres me versent la liqueur d'amour..."
Alors, mon amie me regarda et murmura : "Je
trouble ton cœur, et tu me réveilles ?" »

TROISIÈME HISTOIRE
Le ver luisant

Vous avez certainement vu, parmi l'herbe des
jardins et des prairies, ces minuscules vers, qui
luisent, dans les ténèbres, comme des gouttes de
feu.

Un promeneur demanda, un jour, à l'un d'eux :

— Dis-moi donc pour quelle raison tu ne brilles
pas pendant le jour ?

Voici la lumineuse réponse que fit ce ver flam-
boyant, fils de la terre :

— Je reste dehors, le jour comme la nuit, mais,
quand le soleil est dans le ciel, je ne suis rien.

QUATRIÈME HISTOIRE
L'hypocrite et le derviche

Un hypocrite arrêta un saint derviche, et lui dit :

— Je suis dans une situation épouvantable : je
dois dix dirhâms à un avare impitoyable, et cette
dette sinistre pèse sur mon cœur plus qu'un poids
de dix livres. La nuit, il m'est impossible de dormir ; pendant le jour, l'avare me poursuit partout...

Ses menaces me font perdre l'esprit et l'ébranlent autant que ses coups ébranlent ma porte. J'en suis à penser que, depuis sa naissance, il n'a jamais possédé que ces dix dihrâms ! Ce misérable serait incapable de lire une ligne du Koran... À mon avis, il ne sait prononcer que les mêmes mots. Dès l'aube, cet insensé vient crier derrière ma porte... À présent, je recherche un ami secourable dont la générosité me permettra de rembourser la somme que je dois. Je puis le dire, cet ami, si je le trouve, me délivrera d'un redoutable persécuteur !

Le saint vieillard écouta l'homme et lui remit deux dihrâms. Aussitôt, le quémandeur s'enfuit, le visage doré de joie.

Un passant dit au derviche :

— Tu ne connais donc pas ce gaillard ? Je t'assure que nous ne regretterions pas sa mort... C'est un mendiant qui trouverait le moyen de seller un lion et de le chevaucher !

— Silence ! s'écria le vieillard avec colère. Tu n'auras le droit de parler que le jour où l'on te déclarera initié aux vérités profondes. Si cet homme n'a pas menti, je lui ai rendu un grand service. S'il a usé d'un honteux stratagème, ne crois pas que j'aie été sa dupe. D'ailleurs, ma dignité n'est pas à la merci d'un fripon et d'un menteur de cette petite catégorie.

Aux méchants comme aux bons, fais la charité. En donnant aux bons, tu ajoutes à tes vertus. En donnant aux méchants, tu évites un danger et tu ne risques pas de te tromper...

CINQUIÈME HISTOIRE
Le boulanger

Une femme dit à son mari :

— Ne continue pas d'aller acheter ton pain chez notre voisin, le boulanger. Achète-le désormais au marché de la farine, car ce boulanger est un malhonnête qui nous vend de l'orge au lieu de blé. Depuis une semaine on n'a vu, chez ce boulanger, ni un acheteur ni une mouche.

Le mari, bienveillant et juste, répondit :

— Soleil de mes yeux, nous devons nous résigner ! En s'établissant dans notre quartier, ce marchand a compté que nous lui achèterions son pain... Nous ne pouvons pas faire autrement.

SIXIÈME HISTOIRE
Le mort qui parle

Un homme aimait l'amour, comme Saâdi, et, comme lui, il avait souvent à souffrir. Malgré son renom de sagesse et de prudence, ses amis l'accusaient ouvertement de folie. Avec une patience admirable, cet homme, pour l'amour de sa bien-aimée, supportait les sarcasmes et les injures. Il se contentait de baisser la tête, comme le clou sous le maillet. La pluie affecte-t-elle le malheureux qui se noie ? Pourtant, de tristes pensées ravageaient son esprit et le déséquilibraient.

Une certaine nuit, le Diable se changea en une

péri admirablement belle, qui parut devant le malheureux et s'abandonna à ses caresses.

À son réveil, l'infortuné s'aperçut qu'il n'était pas digne de faire sa prière habituelle. Il se précipita vers un bassin dont l'eau était recouverte d'une couche de glace, et plongea.

— Que fais-tu ? lui crièrent des voisins. Ignores-tu que ce bassin recèle la mort ?

— Silence, vous autres ! répondit-il. Depuis que j'aime, je ne vis plus… Les morts ne meurent point deux fois.

SEPTIÈME HISTOIRE
Le pèlerin

Un enragé dévot cheminait vers La Mecque. À tout instant, il s'arrêtait pour s'agenouiller et prier. Cela fait, il marchait avec une telle ardeur, qu'il négligeait de tirer de ses pieds les épines de mimosa. En bouffées enivrantes, son orgueil, sa joie lui montaient à la tête. Il finit par s'extasier sur ses mérites et, possédé du Diable, il convint que sa piété était unique au monde.

Le pauvre fou ! Heureusement que Dieu veillait sur ce dévot… Une voix céleste lui dit :

— Ne crois pas que le Seigneur t'admire ! Plutôt que de te prosterner sans cesse, tu ferais mieux de soulager tes frères qui souffrent.

HUITIÈME HISTOIRE
La fatuité

Un soûfi, fort pieux, habitait le Caire et ne prononçait jamais un mot. De tous les pays, les hommes les plus éminents venaient visiter ce religieux, comme les papillons se précipitent vers une flamme.

Une certaine nuit, le religieux se remémora le dicton fameux : *Le langage permet à l'homme de se faire apprécier.* Il estima qu'il ne pouvait plus se taire, sous peine de se nuire.

Il parla, et tous ses amis furent unanimes à déclarer qu'ils ne connaissaient pas de plus grand sot. Non seulement on n'alla plus le visiter, mais on le tourna en ridicule. Et il quitta Le Caire, après avoir gravé ces lignes sur le mur d'une mosquée :

« J'ai eu le tort de ne pas lire dans mon intelligence comme dans un miroir ! Si j'avais fait cela, je ne serais pas maintenant la fable de la ville. Je devais ma renommée à mon silence... J'ai parlé, ma renommée est partie, je pars aussi. »

Vois comme la plume de roseau garde secrets les desseins du sultan ! Elle ne parle que sous les morsures du couteau qui la taille.

NEUVIÈME HISTOIRE

Jamais

Je me rappelle avec mélancolie ces vers que j'ai composés pour une jeune fille de Damas. Elle me les avait demandés, un soir, et je partais pour Bagdad, le lendemain. Les voici :

« Je n'emporte même pas le souvenir des baisers que tu m'aurais donnés. Je ne te reverrai jamais. Lorsque tu liras ces vers, lorsque leurs humbles mots t'auront dit combien je t'ai aimée, combien je t'ai désirée, je serai loin, et tu gémiras vainement. Tu diras : "Si j'avais su !..." Penché sur l'encolure de mon cheval, je murmurerai : "C'est mieux ainsi. Le cœur que je lui offrais n'était pas digne d'elle !" Les baisers que tu ne m'as pas donnés, une autre me les donnera, diras-tu encore... Non ! ne sois pas jalouse de cette jeune fille qui n'existe pas, car, s'il y a plus d'une rose entre Bagdad et Chirâz, celle que j'aurais cueillie pour la respirer jusqu'à ma mort ne se trouve qu'à Damas. »

DIXIÈME HISTOIRE

Le nègre et la jeune fille

Un vieillard racontait volontiers cette histoire :
« Un après-midi que je traversais un désert situé au cœur de l'Indoustân, j'aperçus un nègre

gigantesque, aussi laid qu'Iblis. Et ce nègre épouvantable emportait une jeune fille dont il baisait les lèvres vermeilles. On pensait à la nuit étreignant le jour… Aussitôt, je m'emparai d'un bâton et criai : "Gare à toi, monstre vil !" Mes insultes, mes menaces eurent l'effet, comme l'aurore, de séparer l'ombre et la lumière. Pareil à un nuage noir qui vogue au-dessus d'un séduisant jardin, le criminel détala, et la jeune fille m'attendit. Mais, dès mon arrivée, elle se précipita sur moi avec fureur, en hurlant : "Misérable ! J'aimais cet homme depuis longtemps, et tu viens d'éloigner de ma bouche la succulente friandise que j'allais déguster !"

» Ses gémissements redoublèrent. Elle ajouta : "La bonté n'est donc plus qu'un mot ? Tous les hommes sont-ils devenus impitoyables ? Quel généreux inconnu punira ce vieillard qui a eu l'audace de me dépouiller de mes voiles !"

» Tout en m'accablant d'injures, elle me secouait par ma robe. Des gens accouraient. Pour éviter un scandale, je m'évadai de ma robe comme l'ail sort de sa gousse, et m'esquivai, car cette forcenée aurait fini par me tuer.

» À quelques jours de là, elle me rencontra :

» — Me reconnais-tu ? dit-elle.

» — Que Dieu me protège ! lui répondis-je. J'ai juré que je ne m'occuperai plus que de mes affaires, et je te dois d'avoir fait ce serment. »

ONZIÈME HISTOIRE
Le châtiment

Un riche villageois tomba dans un puits, et ce fut là le juste châtiment de ses fautes, car sa cruauté dépassait celle du lion. Pendant toute la nuit, cet homme hurla d'épouvante. Un passant, attiré par ses cris, lui jeta sur la tête un énorme pavé, et dit :

— Vraiment, crois-tu que tes voisins vont te porter secours ? Tu t'es acharné à les faire souffrir : voici ta récompense. Qui songerait à soigner tes blessures, lorsque les cœurs souffrent encore de celles que tu leur as faites ? Tu creusais des fosses sous tes pas, il est équitable que tu y tombes à ton tour.

Tu as semé de l'orge, en automne... Je doute que tu récoltes du blé, au temps de la moisson. Tu as cultivé un plant de *zakoûm*... Il ne produira pas plus de fruits qu'une branche de laurier-rose ne peut produire des dattes.

Je te le répète encore : l'homme ne récolte que ce qu'il a semé.

DOUZIÈME HISTOIRE
L'indignation

Un voleur, qui arrivait du désert, pénétra dans la ville de Sedjestân et courut au bazar. Un marchand l'ayant frustré d'une demi-obole, notre homme hurla aussitôt :

— Seigneur! ne précipite plus en enfer les brigands qui pillent les caravanes pendant la nuit, puisque les habitants de Sedjestân volent les gens en plein jour !

TREIZIÈME HISTOIRE
La grande famine de Damas

Monarques, n'opprimez pas le peuple, car votre fortune n'a rien de stable ! N'accablez pas d'impôts les faibles, car ils peuvent devenir puissants et vous perdre. Je vous le répète, ne vous attaquez à personne ! Ne méprisez pas le plus obscur de vos ennemis... Vous savez que les plus hautes montagnes ne sont formées que de pierres amoncelées. Si toutes les fourmis se réunissaient, elles finiraient par vaincre les lions formidables. Une fois tressés, les cheveux les plus fins sont aussi solides qu'une chaîne de fer. En vérité, quelle chose est plus douce que de rendre heureux ses amis ? Et vous, les humbles, ne vous révoltez pas contre les exactions des tyrans : un jour, justice vous sera rendue. De tout ton courage, de toute ta force d'âme, mon frère, résiste doucement à la violence ! Ceux qui endurent les maux les plus cruels peuvent sourire, car les dents du monarque impitoyable finiront par tomber... Et voici une histoire que vous ferez bien d'écouter avec attention :

Une atroce famine sévissait à Damas, une famine

si terrible que les amants eux-mêmes négligeaient
de s'aimer. La pluie ne tombait plus du ciel impitoyable ; les champs, les vergers étaient stériles, et
les sources ne débitaient plus le moindre filet
d'eau. Les larmes des orphelins étaient les seuls
ruisseaux, et les soupirs des veuves attisaient les
feux des âtres. Les arbres, aussi maigres que les
derviches, ne portaient plus de fruits ; l'herbe des
collines était brûlée et les citernes taries. Les dernières sauterelles s'abattaient sur les jardins, et les
hommes se nourrissaient d'elles. Je rencontrai un
de mes amis, qui était dans un état de maigreur
effrayant. Ma surprise fut grande, car je le savais
riche et comblé d'honneurs.

— Comment se fait-il, lui dis-je, que tu aies souf-
fert à ce point ?

— Serais-tu devenu fou ? me répondit-il avec
colère. Trouves-tu plaisant de me poser une telle
question ? Ignores-tu que le peuple est à bout de
ressources et n'a même plus la force de gémir ?

Je répliquai :

— Craindrais-tu pour ta vie ? Le peuple peut
mourir de faim, mais toi, avec tes richesses... Les
inondations laissent indifférents les oiseaux des
marais.

Mon ami laissa tomber sur moi un lourd regard
de pitié. Ainsi le savant témoigne son mépris à
l'ignorant...

— Mon frère, répondit-il, lorsque les vagues
engloutissent nos compagnons, restons-nous insen-
sibles sur la falaise ? Ce n'est pas la famine qui a
creusé mes joues, mais la souffrance de ceux que la
famine accable. Depuis que tant de malheureux

meurent de faim, le vin et les mets me font l'effet de poisons. Pourrais-tu te promener avec plaisir dans un jardin, si tu savais que ton meilleur ami sanglote au fond d'un cachot ?

QUATORZIÈME HISTOIRE
La fourmi

Je te raconterai, mon frère, cette belle histoire dont un saint homme fut le héros. Puisses-tu avoir ses qualités !

Schibli allait vendre un sac de blé, qu'il venait d'acheter. Tout à coup, il aperçut, dans le blé, une fourmi qui avait grand'peur. Saisi de pitié, Schibli regagna sa demeure et ne put dormir. Le lendemain, à l'aurore, il se dépêcha d'aller délivrer l'insecte.

J'ai dans la mémoire ces beaux vers de l'illustre Firdoûsi :

« Ne tourmente pas la fourmi qui traîne son grain de blé, car elle vit, et la vie est admirable. »

La bougie a brûlé le papillon... Aussi, vois comme elle se consume avec des soubresauts dans sa flamme !

*

Sois bon, ô mon frère !

QUINZIÈME HISTOIRE
Le renard et le derviche

Un derviche, qui se promenait, aperçut un renard sans pattes, et il douta de la bonté de Dieu : « Comment, dit-il, cette malheureuse bête peut-elle trouver sa nourriture ? »

Le vieillard était plongé dans sa méditation, lorsqu'un léopard surgit, traînant un chacal. Le fauve commença de dévorer le chacal, et le renard réussit à saisir quelques bribes de sa chair.

Le lendemain, encore, Dieu s'y prit de la même manière pour nourrir l'infortuné renard. Le pieux derviche crut apercevoir alors le visage de la Vérité, et se retira aussitôt dans un désert, convaincu que le Seigneur daignerait aussi s'occuper de lui.

Mais nul homme, nulle bête ne secourut le vieillard, qui devint maigre comme une harpe.

Le derviche était sur le point d'expirer, lorsqu'une voix lui dit : « Hypocrite, paresseux hypocrite, plutôt que de te décourager comme un renard estropié, vis comme le lion cruel ! Gagne ta nourriture et partage-la avec les faibles. Le Seigneur, un jour, te tiendra compte de ta générosité. N'oublie pas que la peine doit être pour toi, et le profit pour tes semblables... »

*

Dans le désert de Kich, un chamelier dit à son fils : « Mon enfant, va demander ta nourriture aux hôtes qui ne dînent jamais sans convier des pauvres à leur table. »

SEIZIÈME HISTOIRE
L'avènement

Alp Arslân venait de rendre son âme au Créateur de la vie, et son fils avait ceint la couronne.

Un sage soûfi aperçut le nouveau monarque, et s'écria :

— La singulière chose, qu'un trône placé au bord d'un gouffre ! Le père vient à peine de partir, et le fils se met en selle pour le suivre ! Telle est la vie... Au même instant, un vieillard meurt, un enfant naît.

Méprise la vie ! C'est une courtisane qui va danser, chaque soir, chez de nouveaux convives. T'attacherais-tu à ta fiancée si elle changeait d'amants tous les jours ?

Pratique la bonté, tant que le village t'appartient... L'année prochaine, il appartiendra à un autre.

DIX-SEPTIÈME HISTOIRE
Hatâm Tayi

Hatâm Tayi possédait un cheval dont la robe était noire comme la fumée. Et ce cheval était rapide comme le vent d'orage. Dans sa course, il distançait les éclairs. Lorsqu'il bondissait, on pensait à un nuage chassé par l'ouragan. Comme un torrent débordé, il franchissait l'espace, dans des tourbillons de poussière, et il lassait les aigles qui essayaient de le suivre.

La gloire de Hatâm se répandit. Le sultan de Roûm dit, un jour, à son père :

— Je suis curieux de savoir si Hatâm est digne de sa réputation, et je vais lui demander de me donner son célèbre cheval. S'il consent à m'envoyer cette bête, je croirai à sa générosité. S'il refuse, je pourrai dire que ses mérites sont pareils à ceux des roulements de tambour, bruyants et creux.

Le sultan de Roûm dépêcha donc vers Hatâm un messager intelligent, accompagné de dix soldats.

Exténuée de fatigue, la petite troupe arriva au campement de Hatâm, qui ordonna aussitôt de préparer une table et de tuer son fameux cheval. Pendant toute la nuit, Hatâm s'occupa de son hôte, l'obligeant à boire, à manger.

Le lendemain matin, le messager fit connaître le but de son voyage. Durant qu'il parlait, Hatâm, les yeux fous, se mordait les mains.

— Noble et dévoué serviteur, s'écria-t-il enfin, pourquoi, dès ton arrivée, ne m'as-tu pas dit quelle était ta mission ? Ce cheval unique, je l'ai fait tuer en ton honneur... Les inondations m'empêchaient d'envoyer chercher, dans mes pâturages, des bêtes que nous eussions mangées. Je n'avais, ici, que ce cheval... Il m'était impossible de laisser mon hôte souffrir de la faim. Peu importe la perte de ce cheval illustre, puisque mon renom, du moins, ne sera pas terni.

Et Hatâm Tayi combla encore de fastueux présents le messager stupéfait.

Mais écoute cet autre trait de la vie de Hatâm :

La générosité d'un certain roi du Yémen était célèbre. Ses sujets l'avaient surnommé : *la pluie bienfaisante*. De ses mains, en effet, s'échappait continuellement une pluie d'or. Pourtant, ce monarque avait un défaut. Chaque fois qu'il entendait prononcer le nom de Hatâm Tayi, il contractait son visage et déchaînait sa colère. « Me parlera-t-on encore longtemps de ce roitelet obscur qui n'a ni royaume, ni richesses ! s'écriait-il. »

Un jour, ce roi convia ses amis à un magnifique festin, et, au cours du repas, un des convives prononça respectueusement le nom de Hatâm Tayi. Le roi entra dans une fureur terrifiante. Le soir même, il ordonnait à un de ses gardes d'aller assassiner son rival…

Dès son arrivée chez les Benou-Tay le soldat aperçut un vieillard au noble visage et au modeste maintien, qui lui offrit l'hospitalité pour la nuit.

Le lendemain matin, ce vieillard s'agenouilla devant le soldat et le supplia de prolonger son séjour dans sa demeure.

— Il m'est impossible de rester plus longtemps ici, dit l'homme, car je suis chargé d'une mission urgente.

— À ta guise, fit l'hôte, mais, si tu veux bien daigner me mettre au courant de la tâche qui t'incombe, je t'aiderai à la remplir, et de tout mon dévouement.

— Dans ce cas, écoute-moi, et sois discret. Tu connais certainement un nommé Hatâm, dont la

sagesse et la bonté sont célèbres... Eh bien !
j'ignore pourquoi, mais je dois rapporter sa tête au
roi du Yémen. Je te demande de me rendre le service de me dire où je pourrai trouver ce personnage.

Le noble Hatâm sourit et répondit :

— Je suis celui que tu cherches. Tire ton sabre,
et fais tomber ma tête. Je veux t'éviter d'être mal
reçu par ton souverain.

Le messager s'agenouilla en pleurant d'émotion.
Puis, il baisa les pieds et les mains de Hatâm, il
brisa son sabre, son arc, et s'écria :

— Je ne suis même pas digne de te toucher avec
une rose...

Une dernière fois, il embrassa son hôte, et il
s'éloigna vers le Yémen.

Le roi comprit que le soldat n'avait pas accompli
sa mission.

— Pourquoi, lui dit-il, la tête de Hatâm n'est-elle
pas suspendue à ta selle ? As-tu été obligé de com-
battre ? As-tu été vaincu ?

L'homme se prosterna et répondit :

— Ô Seigneur ! j'ai vu Hatâm. Oui, j'ai été
vaincu, mais par sa bonté, sa résignation.

Et le soldat raconta l'admirable chose que vous
savez.

Le souverain s'enthousiasma. Il remit à son
émissaire une bourse remplie de dinars, en disant :

— Hatâm mérite vraiment les louanges qu'on
lui décerne.

DIX-HUITIÈME HISTOIRE
Le jeûne

La femme d'un pauvre officier qui était au service de l'empereur de Chine dit, un jour, à son mari :

— Tâche de me rapporter quelques mets de la table impériale ! Nos enfants meurent de faim.

L'officier répondit :

— Les cuisines de l'empereur sont fermées, aujourd'hui, car notre souverain a déclaré, hier soir, qu'il ne mangerait pas.

La femme se voila le visage pour pleurer, et dit :

— Quelle importance l'empereur attache-t-il à ce jeûne ? Il sait bien, cependant, que le moindre de ses repas procure un festin aux enfants des personnes de son entourage !

Tu peux jeûner, mais donne aux pauvres les plats de ton dîner.

L'eau et le miroir n'ont pas la même limpidité.

DIX-NEUVIÈME HISTOIRE
Le médecin et la jeune fille

Dans la ville de Merv, autrefois, vivait un médecin dont la beauté était merveilleuse. Il dominait les cœurs comme le cyprès domine les arbres du jardin, et il ignorait les souffrances que ses victimes enduraient.

Comme quelqu'un venait de prononcer son nom devant une jeune fille qu'il soignait, celle-ci dit :

— Maintenant que j'ai la joie de le voir tous les jours, je ne souhaite plus de guérir.

Trop souvent, l'invincible puissance de l'amour terrasse et tue la raison.

VINGTIÈME HISTOIRE

L'âne embourbé

Un âne s'était embourbé dans un marais, et son maître hurlait de désespoir. L'endroit était désert. La pluie faisait rage. Par surcroît, la nuit tombait. Jusqu'à l'aube, notre homme s'épuisa en injures, en blasphèmes. Dans sa colère, il invectivait ses amis, ses ennemis, et même le sultan de cette contrée. Celui-ci vint à passer et entendit les vociférations de l'ânier. À bout de patience, il dit sévèrement à l'infortuné :

— En quoi suis-je fautif ?

— Seigneur, déclara un cavalier de son escorte, permets-nous de punir ce coupable, de faire mourir cette plante vénéneuse...

Mais le sultan eut pitié du malheur de l'ânier, et il refréna son courroux. Bien plus, il tendit à cet homme une bourse pleine d'or, puis, il lui donna un cheval et un superbe manteau.

Je ne sais rien de plus beau que la victoire de l'indulgence sur la colère.

Un passant dit à l'ânier :

— Tu peux te féliciter de ta chance ! Je te croyais perdu...

— Silence ! fit le vieillard. Sans doute, je n'ai pas su résister à ma douleur, mais ton souverain ne pouvait pas faire autrement que de me pardonner. Il est aisé, mais indigne d'un sultan, de punir les injures. Les sages doivent rendre le bien pour le mal.

VINGT ET UNIÈME HISTOIRE
La chute

Un faux dévot fit une chute dans son escalier, et mourut sur-le-champ.

Une nuit, le fils de ce faux dévot vit en rêve son père et le questionna sur la façon dont il avait répondu aux interrogations des anges chargés de le juger.

— Mon enfant, répondit l'autre, je n'ai fait qu'un saut de l'escalier dans l'enfer !

VINGT-DEUXIÈME HISTOIRE
La franchise

Le jour de son avènement au khalifat, Mamoûn acheta une esclave qui était jeune et belle. Son teint avait l'éclat du soleil, son corps était flexible comme un rosier, et elle était raisonnable et gaie. Ses ongles semblaient teints du sang des hommes qui étaient morts d'amour pour elle. Ses noirs sourcils s'arquaient au-dessus de ses yeux enivrants, comme le halo de la nuit autour de la lune.

Au crépuscule, chaque soir, cette admirable jeune fille se dérobait aux caresses de Mamoûn. Celui-ci finit par se fâcher et fut sur le point de fendre en deux, comme la constellation des Gémeaux, ce visage adorable.

— Ma vie t'appartient, s'écria l'esclave. Tu peux me faire décapiter, mais épargne-moi tes baisers !

— Pour quel motif me détestes-tu de la sorte ? demanda le Khalife.

La jeune fille répondit :

— Je me résigne à mourir. L'odeur de ton haleine m'est insupportable… Le sabre, la flèche tuent d'un seul coup, mais ta bouche donne la mort lentement.

La colère et la douleur envahirent le cœur du Khalife, qui ne put s'endormir.

Le lendemain, il fit appeler tous les plus savants médecins de la ville, et les consulta. Malgré le dépit qu'il éprouvait, il fit préparer une drogue qui devait donner à son haleine le parfum de la rose. Alors, il manda la jeune fille, en déclarant : « Je la tiens pour une parfaite amie. N'a-t-elle pas eu le courage de me dire la vérité ? »

Le véritable ami est celui qui ôte les pierres et les ronces devant nos pas.

Au voyageur qui se trompe de chemin, ne dis

point : « Tu es sur la bonne route. » Ce serait le trahir !

Et Saâdi te répète : « Bois l'amer breuvage de mes conseils : je l'ai passé au crible de la sagesse, et le sucre de la poésie en atténue l'acidité. »

VINGT-TROISIÈME HISTOIRE
Le linceul

Le roi Djenischid eut la douleur de perdre un de ses favoris, qu'il chérissait. Il roula son bien-aimé dans un magnifique linceul de soie, et les gardes l'emportèrent au champ des morts.

À quelques jours de là, cédant à sa douleur, Djenischid voulut revoir le corps de celui qu'il pleurait.

Le linceul du cadavre était déchiqueté... Le sultan tomba dans une indicible rêverie et s'écria :

— Cette soie, je l'avais volée aux vers, les vers l'ont reprise à mon bien-aimé !

*

Je me rappelle avec mélancolie ces vers que chantait un musicien :

« Quand nous serons morts, le printemps continuera de parer la terre des roses que nous admirons aujourd'hui ! »

VINGT-QUATRIÈME HISTOIRE
L'école de la patience

Un homme, dont les mérites étaient célèbres, avait un serviteur d'un caractère détestable et d'une laideur repoussante. On reconnaissait que la hideur de son visage était unique. Lorsque ce serviteur recevait l'ordre de préparer un repas, aussitôt il se mettait en colère ; lorsque le repas était servi, aussitôt il venait s'asseoir grossièrement à table. Le soir, il renouvelait son manège, non sans se garder d'offrir à son maître la moindre goutte d'eau. Les reproches, les coups le laissaient indifférent. Le jour, la nuit, il faisait un vacarme infernal dans la maison. Quelquefois, il précipitait les poules dans le puits. Souvent encore, il hérissait de fagots le chemin par lequel son maître devait passer. Quand il allait faire une commission, il restait dehors pendant toute la journée. Devant lui, tout le monde fuyait…

Un jour, un voisin dit au maître :

— En vérité, pourquoi ne chasses-tu pas ce singulier domestique ? Est-il beau, est-il zélé ? Comment peux-tu supporter les odieuses manières d'un être aussi laid. Je me charge de te trouver un autre esclave sérieux et honnête. Dépêche-toi de vendre celui-ci, au marché. Ne te proposerait-on qu'une obole, accepte-la, et il serait encore payé trop cher.

Le brave homme sourit et dit :

— Précieux ami, j'avoue que mon esclave est

insupportable, mais je lui dois d'être devenu
meilleur. Il m'a rendu si patient, que je puis maintenant tout supporter de la part de mes semblables.

VINGT-CINQUIÈME HISTOIRE
La récompense

Une goutte de pluie tomba dans la mer, et fut
tout interdite. « Ô mer, s'écria-t-elle, je suis si peu
de chose dans ton immensité ! »

Pour la récompense de son humilité, Dieu
ordonna à un coquillage de l'abriter et de la nourrir. Elle se transforma en une perle splendide, que
l'on incrusta dans la couronne d'un roi.

Dieu lui fit cet honneur, parce qu'elle avait été
humble. Elle vécut, parce qu'elle s'était comparée
au néant.

VINGT-SIXIÈME HISTOIRE
La victoire

Un homme avait épousé une jeune fille admirablement belle qui, le soir même du mariage, prise
d'une terreur folle au moment que son mari se
préparait à la besogner, s'était enfuie dans le jardin attenant à leur demeure.

Un philosophe, qui avait entendu ses cris,
s'approcha d'elle et lui dit :

— Que t'arrive-t-il ?

Aussitôt, d'une haleine, la jeune fille raconta au

personnage que son mari l'avait attaquée avec une
ardeur épouvantable.

— Combien je suis malheureuse ! gémissait-
elle. On n'a jamais eu si peu d'égards pour moi…
Dans sa fureur amoureuse, mon mari a oublié que
j'appartiens à une famille illustre, qui compte de
valeureux guerriers…

Je dois vous prévenir que notre philosophe,
depuis longtemps, avait jeté son dévolu sur cette
adorable jeune fille. Il ne laissa pas de saisir l'occa-
sion de jouer son rival, et il dit :

— La conduite de ton époux est vraiment inqua-
lifiable ! Tu as bien fait de lui échapper, car la fuite
était préférable pour toi à la honte d'avoir le dessous dans un combat. Si ta famille était obscure,
je te conseillerais de regagner le champ de bataille
et d'accepter la défaite, mais ta famille est illustre
et tu ne peux avoir le dessous sans que cette honte
rejaillisse sur les valeureux guerriers dont tu me
parlais.

Pendant ce temps, l'époux, qui avait retrouvé
ses esprits, accourait, au comble de la colère. Le
philosophe s'esquiva.

Le lendemain, à l'heure douce où les gens qui
possèdent un jardin vont s'asseoir sous leur arbre
préféré, la jeune femme vint s'étendre sur le gazon
de sa pelouse. Profitant de l'absence du mari, le
philosophe passa la tête à travers un buisson et dit
à la belle nonchalante :

— Que faut-il annoncer aux guerriers de ta
famille ? Ta défaite ?

— Ma victoire ! s'écria la jeune femme. Mais,
pourquoi ne m'as-tu point prévenue que mon

époux ne verrait aucun inconvénient à me laisser le dessus ?

— Je venais justement t'informer de cela et te montrer comment tu devais t'y prendre...

— Grand merci ! Que le Seigneur te protège... fit la jeune femme.

À ce moment, le mari, qui veillait, déchargea sur le philosophe un coup de bâton, lequel lui rompit l'échine.

VINGT-SEPTIÈME HISTOIRE

La jalousie

Un soir que Dieu m'avait permis d'allumer la torche de la Poésie à la haute flamme de l'Inspiration, un homme, sot et jaloux, m'écoutait réciter mes vers. Force lui fut de les applaudir, mais une certaine malveillance perçait sous ses louanges. Les blessés ne peuvent s'empêcher de gémir...

— En vérité, dit cet homme, les kacidas que nous venons d'entendre fourmillent d'images ingénieuses et de nobles pensées. Saâdi excelle à parler de la piété, de l'amour et de la vérité... Mais une corde, et non la moindre, manque à sa lyre ! Il chante bien imparfaitement les guerriers et leurs prouesses. Je l'engage à laisser à d'autres poètes le soin d'exalter la lance, la hache et la lourde massue...

L'ignorant grossier ! qui ne s'est pas rendu compte que je n'ai aucune inclination pour la poésie épique ! Je dédaigne de disputer la première place aux chantres de la guerre… Il me serait aisé, pourtant, de brandir le sabre et de confondre mes rivaux !

*

La petite fourmi ne souffre jamais de la faim. Le lion, malgré ses crocs et ses griffes acérées, ne trouve pas toujours à manger.

VINGT-HUITIÈME HISTOIRE
L'aveugle

Un homme, riche mais impitoyable, avait chassé un mendiant qui lui demandait l'aumône. Le mendiant alla s'accroupir non loin de la demeure de ce riche, et là, se prit à pleurer. Un aveugle, qui passait, entendit ses sanglots et le questionna. Le pauvre lui raconta sa déconvenue.

— Mon frère, lui dit l'aveugle, ne te désespère plus ! Suis-moi, tu partageras mon modeste repas.

Il l'entraîna, lui prodigua de douces paroles, il le fit entrer dans sa demeure et ils se mirent à table.

Une fois rassasié, le derviche s'écria passionnément :

— Que Dieu te rende la vue !

Au cours de la nuit, l'aveugle sentit ruisseler sur ses joues des larmes brûlantes. À l'aurore, il voyait.

Cette extraordinaire nouvelle se répandit dans la ville. On apprit qu'un aveugle venait de recouvrer la vue, et le riche, qui avait éconduit le pauvre, fut mis au courant de la chose. Il se précipita aussitôt chez l'aveugle.

— Heureux homme, s'écria-t-il, comment un tel miracle s'est-il produit ? Quelle main a rallumé dans tes prunelles le flambeau qui les illumine à présent ?

— Homme cruel, répondit l'autre, c'est toi le véritable aveugle ! N'as-tu pas pris pour un hibou l'oiseau sacré Houmâ ? Tu me demandes qui a ranimé dans mes yeux la lumière ? Mais c'est le vieillard que tu as ignominieusement chassé ! Écoute mon conseil : baise la poussière qui blanchit les pieds des élus du Seigneur, et, peut-être, la lumière divine t'éclairera...

— Hélas ! gémit le mauvais riche, tu as capturé l'oiseau que je convoitais ! Tu jouis maintenant d'un bonheur qui pouvait m'advenir...

VINGT-NEUVIÈME HISTOIRE

L'épouse malheureuse

Une jeune mariée alla se plaindre à son père des mauvais traitements que lui infligeait son époux.

— Toléreras-tu, lui dit-elle, que je continue d'habiter avec cet homme ? Nulle femme au monde n'a une vie plus triste que la mienne ! Je sais qu'un époux et une épouse doivent être aussi unis que deux amandes dans une même coque, mais mon mari ne m'adresse jamais le moindre sourire !

Le vieillard, qui avait beaucoup d'expérience,

écouta ces plaintes et se contenta de répondre avec douceur :

— Tu as voulu te marier avec cet homme parce qu'il était beau... Subis maintenant ses caprices.

Ne te défais point d'un trésor que tu ne remplaceras pas !

TRENTIÈME HISTOIRE
La reconnaissance

Moyennant une aumône infime, un homme avait entendu un vieux derviche le combler de bénédictions. À quelques jours de là, cet homme se rendit coupable d'un meurtre, et le sultan le condamna à mort. Les soldats entouraient déjà le lieu du supplice, les badauds accouraient, une foule tumultueuse se pressait sur les toits avoisinants, lorsque le derviche aperçut son bienfaiteur que des gardes entraînaient.

Saisi de pitié, le vieillard, se rappelant ce qu'il devait à cet homme, hurla :

— Le sultan vient de mourir ! Son âme si noble s'est envolée vers Dieu...

Le bourreau n'eut plus la force de lever son sabre, et un immense cri monta de la multitude. De toutes parts, on se précipita vers le palais du sultan. Certains se déchiraient la poitrine et le visage ; d'autres pleuraient en silence. Quelle ne fut pas la stupéfaction générale, lorsqu'on apprit que le monarque, en parfaite santé, était assis sur son trône. Mais le prisonnier avait fui... Des gardes arrêtèrent le derviche.

— Pour quel motif as-tu annoncé ma mort ? lui demanda le sultan avec colère.

Le saint vieillard répondit :

— Ô Seigneur, je suis ton esclave, mais, en jetant ce cri : « le sultan vient de mourir ! » je n'ai vraiment pas attenté à ta vie. Je n'ai fait que sauver celle d'un malheureux.

Cette réponse toucha le souverain, qui fit remettre au derviche un magnifique présent.

Éperdu, le condamné courait au hasard, quand un inconnu lui demanda comment il avait échappé au supplice.

Il répondit :

— Je dois la vie à un brave cœur et surtout à une aumône que j'ai faite, autrefois.

Ô sage, sème dès aujourd'hui, et tu ne souffriras pas de la famine ! Souviens-toi que le bâton de Moïse a eu raison de Hoûdj, le redoutable géant...

TRENTE ET UNIÈME HISTOIRE
La treille

Un sage aperçut, en rêve, la vallée du Jugement dernier. Sous les rayons d'un soleil de feu, le sol de cette vallée ressemblait à du métal liquide, et les crânes des hommes étaient sur le point d'éclater et des cris d'angoisse montaient vers le ciel implacable. Pourtant, dans une nappe d'ombre fraîche, un vieillard, magnifiquement vêtu, se reposait.

— À quelle prodigieuse intercession dois-tu cette faveur insigne ? lui demanda le sage.

Et l'Élu répondit :

— Un jour, j'ai permis à un soûfi de s'asseoir à l'ombre de la treille qui ombrageait ma demeure. Ce soûfi vient d'obtenir de Dieu mon salut éternel...

TRENTE-DEUXIÈME HISTOIRE
Le mendiant amoureux

Un mendiant devint éperdument amoureux de la fille d'un roi. Tout le jour, ravagé de désir, il parcourait la ville comme un insensé. Tantôt, immobile comme une colonne, il épiait la jeune fille. Tantôt, il se lançait à sa poursuite, avec la fureur d'un éléphant échappé. Le sang ruisselait de son cœur déchiré, et ses larmes inondaient le sol autour de lui.

Cette singulière nouvelle se répandit dans la ville... Défense fut faite au mendiant de rôder autour du palais. Il se résigna, mais son amour le contraignit à revoir les murailles qui emprisonnaient la jeune fille. Un garde accourut et le roua de coups, en lui reprochant sa désobéissance.

Encore une fois, le mendiant s'éloigna. Mais vous avez deviné qu'il lui était impossible de vivre sans jamais apercevoir celle qu'il chérissait ! On avait beau le chasser, pareil à une mouche qu'attire le sucre, il revenait toujours.

Un sage lui dit :

— J'admire que tu restes insensible aux injures et aux coups de bâton.

— Ces coups, ces injures, c'est ma bien-aimée qui me les envoie... Puis-je donc m'en affliger ? Mon amour n'est pas à la merci de tels procédés ! Renoncez à obtenir de moi que je quitte la ville... Le papillon préfère se brûler à la torche plutôt que vivre dans les ténèbres.

Un jour, le mendiant baisa l'étrier de la princesse. Méprisante et hautaine, celle-ci fit reculer son cheval.

Le malheureux s'écria, sans colère :

— Je ne comprends pas ce que tu fais ! Un roi daigne-t-il mépriser un objet sans valeur ? Si tu me tiens pour coupable, ne m'accable pas de reproches, car c'est ton sang qui coule dans mes veines. Je suis décidé à mourir, mais pourquoi me frapperais-tu d'un coup de sabre : les flèches de tes yeux n'ont-elles pas transpercé mon cœur ?

TRENTE-TROISIÈME HISTOIRE
La danseuse

Une danseuse, aussi belle qu'une péri, ondulait dans la musique d'un orchestre de virtuoses. La flamme d'une bougie — ou, plutôt, les flammes des cœurs qui se consumaient autour d'elle — embrasèrent son écharpe.

Pour calmer son effroi et sa fureur, un de ses admirateurs lui dit :

— Calme-toi, mon amie ! Ton écharpe, seule, a été endommagée… Considère, je te prie, que je brûle tout entier !

TRENTE-QUATRIÈME HISTOIRE
Le voyage

Un jour que je parcourais le Moghreb en compagnie d'un saint vieillard natif de Fariâb, nos pas nous conduisirent sur le bord de la mer. Je possédais encore une petite somme d'argent… Un batelier me fit monter sur sa nef, mais cet homme, qui était impitoyable, laissa le vieillard sur la plage et n'écouta même pas ses supplications. Les nègres, qui formaient l'équipage de la nef, se courbèrent sur leurs rames, et nous partîmes avec la rapidité d'un nuage chassé par le vent.

Je m'attristais du destin qui attendait mon compagnon, lorsque celui-ci me cria :

— Généreux ami, ne te préoccupe pas de moi ! Le Maître qui veille sur ton bateau saura pourvoir à mon passage.

Le vieillard posa sur les flots son tapis de prière, et les flots le portèrent.

Je ne pouvais en croire mes yeux ! Au cours de cette nuit-là, il me fut impossible de dormir. Le lendemain, à l'aurore, quelle ne fut pas ma stupéfaction de voir le bienheureux scheikh !

— Généreux ami, me dit-il, tu constates que j'avais raison. Ton inquiétude était vaine… Le batelier t'a conduit ; moi, c'est Dieu qui m'a dirigé.

Je n'arrive pas à comprendre pourquoi les sec-
taires de la Raison nient aux derviches le pouvoir
de marcher sur les eaux et de traverser les flammes.
Cependant, le Seigneur a secouru Abraham sur
son bûcher et guidé, dans les roseaux du Nil, le
berceau de Moïse !

Obscures et pleines de précipices, sont les voies
de la raison. Dieu seul existe. « Le ciel et la terre
n'existent donc pas ? » argumente le sceptique. Sans
doute cela peut se discuter, mais qu'il daigne écouter ma réponse : « Est-il possible d'affirmer que la
terre et la mer, les montagnes et les étoiles, les péris
et les hommes ont une perfection qui dépasse celle
de Dieu ? Tu admires la mer immense, l'éclat du
soleil dans le ciel, le scintillement des astres, mais
quel secours t'apporte la raison si tu veux voir clair
dans cet abîme où le soleil n'est qu'un grain de poussière lumineuse, où les sept mers ne sont qu'une
goutte de rosée ? »

Dieu seul existe. Tout le reste est néant.

TRENTE-CINQUIÈME HISTOIRE
Le destin

Un Kurde ne dormait plus, tant il souffrait du
ventre. Un médecin l'examina et dit sentencieuse-
ment :

— À la façon dont cet homme ingurgite ce
hachis de viande, je vois qu'il sera mort demain.

Mieux vaudrait qu'une flèche tartare se plante dans son ventre, plutôt que cette affreuse nourriture...

Il arriva que le médecin mourut en sortant de chez le malade. La chose s'est passée il y a quarante ans, et notre Kurde vit encore.

TRENTE-SIXIÈME HISTOIRE

L'amour cruel

Un habitant de Samarcande aimait une jeune fille dont les lèvres distillaient un miel incomparablement doux. L'éclat de sa beauté ternissait celui de la lune, et les plus sages parmi les sages se laissaient aller à l'admirer. On s'accordait à reconnaître que Dieu, en créant une femme si belle, avait voulu donner la mesure de sa puissance.

Lorsque cette jeune fille sortait de sa demeure, tous les regards la suivaient, tous les cœurs s'offraient à elle.

Un jour que notre homme la contemplait, elle dit avec colère :

— Me suivras-tu toujours, pauvre fou ? Et me prends-tu pour une colombe qui doit tomber dans tes grossiers filets ? Fais attention ! Si je te rencontre encore, ce poignard percera ton cœur...

Un passant dit au malheureux :

— Je te donne le conseil de te méfier, à l'avenir. Je t'engage aussi à aimer une femme d'un commerce moins dangereux.

L'amoureux soupira et répondit :

— Qu'elle me poignarde ! mais que l'on dise :
« Cet homme a été tué par sa maîtresse. » Chaque
nuit, vois-tu, l'amour me brûle, mais, à l'aube, dès
que je puis apercevoir la demeure de cette jeune
fille, une brise embaumée me rafraîchit. S'il m'est
donné de mourir sur le seuil de sa porte, Dieu ne
me séparera pas de ma bien-aimée, au jour de la
Résurrection.

Saâdi a trouvé la vie dans l'amour qui tue.

TRENTE-SEPTIÈME HISTOIRE
La robe déchirée

Au cours d'une dispute, un homme avait furieu-
sement insulté ses adversaires. On le roua de coups
et on mit sa robe en pièces.

Le malheureux alla s'accroupir dans un coin,
en pleurant.

Un sage, qui passait, lui dit :

— Vois-tu, pauvre fou, si tes lèvres étaient restées
fermées comme le bouton de la rose, ta robe ne serait
pas en lambeaux comme celle de la rose fanée !

*

N'empêchez pas les jaloux de proclamer que
Saâdi n'a aucun talent et que son caractère est
détestable...

TRENTE-HUITIÈME HISTOIRE
Les larmes de la bougie

Une nuit que le Sommeil résistait à mes appels, j'entendis un papillon dire à ma bougie :

— J'aime aimer. Il est donc logique que je me consume sans trêve. Mais toi, pourquoi verses-tu ces larmes brûlantes ?

— Mon frère, répondit la bougie, un méchant homme m'a séparée du miel, mon doux amant, et je pleure. Mais je m'aperçois que tu es indigne d'aimer ! Tu n'as aucun courage, aucune résignation... Ma flamme ne t'a encore donné qu'un baiser, et tu fuis ! Le feu de l'amour n'a fait que frôler ton aile... Regarde comme il m'enlace et me détruit ! Au lieu d'admirer ma résignation passionnée, mes larmes brûlantes, tu ne t'intéresses qu'à la lumière que je répands. Cependant, je ressemble à Saâdi ! Il sourit, mais le feu de l'amour le dévore...

Quelques instants après, une ravissante jeune fille vint éteindre ma bougie, qui exhala une fumée noire, en disant :

— L'amour finit ainsi. La mort seule a raison de sa flamme... Ne demeure pas à pleurer sur les tombes des vaincus de l'amour ! Lève-toi et dis : « Gloire à Dieu ! Ces victimes étaient des Élus. »

Ne te lance pas sur l'océan de l'amour. Mais, si tu tentes l'aventure, sois hardi et plonge jusqu'au fond de ses gouffres !

TRENTE-NEUVIÈME HISTOIRE
La médisance

À cette époque, j'étais boursier à l'université Nizamy, et je consacrais tout mon temps à apprendre mes leçons et à les réciter. Un jour, je dis à mon professeur :

— Ô savant maître, un tel de mes camarades est jaloux de moi. L'envie lui mord le cœur, chaque fois que j'explique le Livre.

Le visage de mon professeur se rembrunit.

— La singulière chose ! s'écria-t-il. Tu blâmes la jalousie de ton condisciple, mais crois-tu que la médisance est digne d'éloges ? Si les mauvais instincts de cet adolescent le font s'acheminer vers l'enfer, tu es en passe de le rejoindre par un autre sentier.

QUARANTIÈME HISTOIRE
Le séducteur

À Damas, je crois, j'ai entendu raconter que la fille d'un cadi aimait passionnément le fils d'un chef de voleurs. Comme vous le pensez, ce jeune homme était beau. Malgré sa détestable réputation, les femmes, lorsqu'il passait, ne pouvaient s'arracher au plaisir de le suivre des yeux, et plus d'une, ensuite, sur sa terrasse, s'attardait à rêver aux brutales étreintes qu'il devait affectionner.

La femme est ainsi faite. Cependant, l'ami de qui je tiens cette histoire ne m'a pas dit s'il avait été renseigné, aux dépens de son honneur conjugal, sur les ravages qu'exerçait le fils du voleur. La femme est ainsi faite, disais-je. Donnez-lui du sucre, elle regrettera que vous ne lui offriez pas du vinaigre. Caressez-la d'une main précautionneuse, elle vous reprochera votre froideur ou votre indifférence... Pour ma part, j'ai accoutumé de ne point me préoccuper outre mesure de ce que peut souhaiter la femme que je caresse, et je me remémore souvent cette parole d'un sage : « Le fruit que tu manges ne se mêle pas de te donner son appréciation sur la façon dont tu le goûtes. Et, s'il te la donnait, en serait-il plus savoureux ? »

Bref, la fille du cadi aimait d'une amour brûlante le fils du chef des voleurs. Bien loin de taire sa passion, elle disait à qui voulait l'entendre : « Je le suivrais dans le pays des tartares, s'il était obligé d'aller se réfugier dans cette région... Pour qu'il m'aime, je consentirais à fouler aux pieds mon honneur, et j'irais même jusqu'à voler, comme lui ! »

Des âmes charitables ne manquèrent point de rapporter au père de cette jeune fille les propos extravagants qu'elle tenait. Mais le cadi, qui avait beaucoup d'expérience, souriait et disait : « Pour le moment, je ne vois rien de grave à tout ceci. Savez-vous que vous m'obligeriez fort en aidant ma fille à rencontrer ce seigneur brigand ? » Et comme on se récriait, il accentuait son sourire et ajoutait : « Je ne vois que ce moyen pour la guérir de sa passion ridicule. »

On convint que le personnage avait perdu la raison. Un jour, notre voleur, qui avait commis un crime épouvantable, eut la malchance d'être pris, et on le fit comparaître devant le cadi.

Tout à coup, le juge s'écria :

— Je préfère perdre ma charge... mais il m'est impossible de condamner cet homme !

Éperdu, son assesseur lui dit, à l'oreille :

— Es-tu fou ? Il a égorgé un vieillard, pour le voler...

— Évidemment, la chose est regrettable, cria le cadi avec plus d'ardeur, mais cet homme est trop beau... Je ne puis le condamner. Qu'un autre juge me remplace ! Au fait, non ! Je le condamne, et à la détention perpétuelle. Il subira sa peine dans la prison qui avoisine ma demeure. Gardiens ! emmenez-le tout de suite.

Une fois seul avec son assesseur, le cadi murmura, avec force soupirs :

— Voilà l'ouvrage de l'amour ! Je n'ai jamais tant excusé ma fille, puisque, maintenant, j'aime celui qu'elle aime. Par exemple, accorde-moi que la justice a servi ma cause... Désormais, dans cette prison mieux que dans un harem, je pourrai jouir de la vue de mon bien-aimé.

— L'honneur de la justice est sauf. C'est tout ce que je puis te dire, termina l'autre.

QUARANTE ET UNIÈME HISTOIRE
Le crâne

Un jour, sur la berge du Tigre, un pieux soûfi aperçut un crâne, qu'il ramassa. Grande fut la surprise du soûfi d'entendre ce crâne lui dire :

— Autrefois, une couronne a ceint mon front, autrefois j'ai connu la gloire, et la bénédiction de Dieu s'étendait sur mes armées ! J'avais conquis l'Irâk, je marchais sur Karmân, lorsqu'une légion de vers s'est abattue sur mon cadavre. Sache voir, ô soûfi, les vérités qui sont cachées ! Écoute, d'une oreille attentive, les sages conseils que te donnent les morts.

Le juste n'a rien à redouter des hommes. Comme le scorpion meurt dans sa cachette, l'homme qui a fait le mal expire dans la solitude et l'oubli. Si tu ne pratiques pas la charité, je comparerai ton cœur à une pierre, et encore je me tromperai, car la pierre est quelquefois utile.

La bonté est une graine qui produit toujours des fruits, mais il faut savoir semer cette graine.

QUARANTE-DEUXIÈME HISTOIRE
La musique

La beauté d'un adolescent consumait les cœurs, comme des roseaux. Cet adolescent excellait à tirer de sa flûte des mélodies suaves. Un soir, il arriva

que son père, fatigué de l'entendre, jeta sa flûte
dans le feu. Mais le jeune homme réussit à se pro-
curer un autre instrument. Et son père, qui avait
écouté avec attention les accents qu'il en tirait,
éprouva, soudain, un grand trouble.

— Voici que le roseau me brûle, à son tour ! dit-
il avec une sueur d'angoisse.

T'expliques-tu pourquoi les amants de l'amour
convulsent leurs bras, lorsqu'ils dansent ? C'est
parce qu'ils voient les portes du Jardin du Paradis.
Alors leurs gestes frénétiques repoussent les choses
terrestres...

QUARANTE-TROISIÈME HISTOIRE
Le silence

Takasch avait divulgué un secret à ses gardes, en
leur recommandant de ne le confier à quiconque.
Ce secret, qui avait mis une année entière à monter de son cœur à ses lèvres, se répandit dans la
ville en un jour.

Furieux, Takasch ordonna au bourreau de sup-
plicier les coupables. Mais l'un d'eux dit au prince :

— Toi seul es responsable de la faute que nous
avons commise. Donc, gracie-nous ! Puisque tu
n'as pas su arrêter le fleuve à sa source, ne cherche
pas à l'endiguer quand il inonde le pays. Charge un
gardien de veiller sur tes bijoux, mais ne charge
personne de veiller sur ton secret.

Tu es le maître de toute parole que tu n'as pas encore prononcée; une fois qu'elle est sortie de ta bouche, c'est toi qui es son esclave.

Lorsqu'un diable s'est évadé de sa prison, aucune prière, aucun ordre ne peuvent le contraindre à rentrer.

*

Un enfant délie la longe qui retient un cheval indompté, mais cent athlètes seraient incapables de capturer à nouveau ce cheval.

QUARANTE-QUATRIÈME HISTOIRE
L'ingratitude

Un sultan fit une chute de cheval, et les muscles de son cou restèrent paralysés. Il ne pouvait plus remuer la tête. Les plus célèbres médecins se déclarèrent incapables de rendre au cou du sultan sa souplesse primitive. Un sage, qui arrivait de Grèce, réussit à guérir le monarque de cette fâcheuse infirmité. Mais le sultan négligea de récompenser le médecin. Bien plus, le lendemain, lorsque ce dernier revint, l'ingrat ne lui accorda aucune attention. Le grec, furieux, s'éloigna en murmurant : « Si je n'avais pas eu l'habileté de redresser son cou, il aurait été dans l'impossibilité de détourner la tête en m'apercevant ! »
Cependant le médecin tenait sa vengeance. Il

ordonna à un esclave d'aller porter au palais une poudre que le sultan devait jeter sur un brasier, pour en respirer la fumée. Le souverain se conforma à cette prescription, mais il éternua si fort que les muscles de sa nuque se brisèrent.

On courut aussitôt chez le médecin grec, mais en vain. Il avait disparu.

QUARANTE-CINQUIÈME HISTOIRE
Le bon derviche

Dans un faubourg de Tébriz vivait un saint derviche qui consacrait ses nuits à prier. Un soir, apercevant un voleur qui venait de lancer une corde sur un toit, le saint derviche se mit à crier, et tous les habitants du quartier arrivèrent, les uns armés de bâtons, les autres d'arcs. À ce bruit, le voleur prit la fuite avec épouvante... Mais notre religieux s'apitoya aussitôt sur sa malchance. Il se précipita derrière lui, l'aborda dans un chemin désert, et lui dit :

— Ne crains rien ! Je suis ton ami, car j'admire ton habileté à sortir du danger. Tu as agi en héros... Quel est ton nom ? Je veux te prouver mon attachement...

Le voleur réfléchissait. Le derviche continua :

— Si tu veux bien avoir confiance en moi, je te montrerai une petite maison qui est entourée d'un mur très bas. Le propriétaire de cette demeure est absent... L'un de nous pourra facilement escalader le mur et pénétrer ensuite dans la place. Je dois te prévenir que le butin sera maigre, mais modeste profit vaut mieux que point de profit du tout, tu le sais.

Et le saint homme parla si bien qu'il réussit à convaincre le voleur et à le guider jusqu'au petit ermitage en question, qui n'était autre que le sien. Le rôdeur fit la courte échelle, le derviche escalada son mur, puis pénétra dans sa maison, et là, d'un tour de main, il empaqueta ses robes, ses turbans, qu'il alla jeter au voleur, par-dessus le mur.

Le malfaiteur était tout à sa joie, lorsque le derviche hurla :

— Au secours ! Au secours ! On vient de piller ma maison !

L'autre détala aussitôt, non sans emporter les hardes du saint homme. Et ce dernier remercia Dieu, qui lui avait permis de faire une bonne action.

QUARANTE-SIXIÈME HISTOIRE

Le filet

Un jour, le vautour dit au milan :

— Aucun être vivant n'a une vue aussi perçante que la mienne.

— Voilà ce que nous allons contrôler, fit le milan. Daigne monter jusqu'ici, et dis-moi ce que tu vois, là-bas, à l'extrémité de cette immense plaine.

Tout en planant à une hauteur vertigineuse, le vautour fixa son regard sur un point qui était situé à un jour de marche, et s'écria :

— Pourras-tu me croire ? À l'extrémité de cette plaine, j'aperçois un grain de blé.

Stupéfait, le milan suivit le vautour, et ils allèrent s'abattre à l'endroit désigné.

Le vautour venait de remuer du bec le grain de blé, lorsque son cou resta pris dans la maille d'un filet...

Toutes les huîtres ne recèlent pas une perle.

QUARANTE-SEPTIÈME HISTOIRE
La meule

Un homme, qui avait épousé une femme d'un caractère insupportable, alla se plaindre auprès d'un sage vieillard.

— Sous le faix de l'éternelle mauvaise humeur de mon épouse, dit-il, je gémis comme la meule qui est au-dessous de la première meule, dans un moulin.

— Mon ami, répondit le vieillard, je t'engage à te résigner. D'ailleurs, je te trouve injuste. Pendant la nuit, n'es-tu pas la meule de dessus ? Il est naturel que, pendant le jour, tu sois la meule de dessous...

QUARANTE-HUITIÈME HISTOIRE
La tête de l'âne

L'âne d'un paysan mourut, et celui-ci planta la tête du baudet sur un cep de vigne qui était au milieu de son jardin.

Un sage vieillard dit au paysan, avec un sourire :

— Je doute, mon brave, que ton âne ait maintenant le pouvoir de protéger ton jardin contre les ravages des oiseaux. Pendant sa vie, la pauvre bête n'a-t-elle pas été incapable de se protéger contre les coups de ton bâton ?... La mort, seule, l'a délivrée.

QUARANTE-NEUVIÈME HISTOIRE
Mahmoûd

Un imbécile disait, à propos d'un favori du sultan de Ghasnâ : « Quel singulier mystère ! Ayâz n'est pas beau... Je me demande comment un rossignol peut aimer une rose qui n'a ni riches couleurs, ni parfum ? »

Cette parole fut rapportée au sultan Mahmoûd, qui dit avec colère :

— J'aime Ayâz pour ses vertus et non pour les charmes de son corps.

Un jour, ce monarque traversait une montagne. Un des chameaux de son escorte tomba, et un coffret rempli de perles se brisa. Indifférent à la chose, Mahmoûd continua de cheminer, laissant ses gardes occupés à ramasser les perles. De ses nombreux cavaliers, un seul était resté près du sultan, et c'était Ayâz. Mahmoûd lui dit :

— Ô mon meilleur ami, as-tu ramassé les perles qui te plaisaient ?

— Non, répondit Ayâz, je t'ai suivi. Les plus rares trésors ne me feraient pas négliger mon devoir...

Mon frère ! puisque ton plus cher désir est d'aller t'asseoir, un jour, dans les Jardins du Paradis, ne t'abandonne pas à négliger Dieu pour les biens de ce monde.

Je compare la Vérité à un somptueux palais, que les nuages des passions cachent à notre vue.

CINQUANTIÈME HISTOIRE
La vanité

Un homme avait quelques notions d'astronomie et, surtout, un orgueil démesuré. Ayant appris qu'un certain Gouschiâr l'emportait, en science, sur tous les savants de l'époque, cet homme alla visiter Gouschiâr, avec morgue. Mais ce dernier ne desserra pas les dents. L'étranger, penaud, se disposait à partir, lorsque l'astronome lui dit :

— Tu es convaincu, n'est-ce pas, que tu n'as plus rien à apprendre ? Dans une coupe qui déborde

peut-on verser encore de l'eau ? Si je te laisse partir
sans avoir causé avec toi, c'est parce que ton cœur
déborde d'orgueil...

Comme Saâdi, parcours le vaste monde avec
humilité. Lorsque tu regagneras ta demeure, tu
seras riche d'expérience.

CINQUANTE ET UNIÈME HISTOIRE

La prudence

Un marchand acheta un jeune esclave turc, qui
était merveilleusement beau. Le soir même, il
entreprit de caresser l'adolescent, mais celui-ci
l'accabla de coups.

Il est fou d'acheter un livre pour l'unique raison
qu'une seule de ses lignes est bien écrite...

Le malheureux marchand jura sur Dieu et sur
Mohammed qu'on ne l'y reprendrait plus. Peu
après cet événement, il fut obligé de s'absenter, et
il partit, le cœur déchiré, la tête fendue et envelop-
pée de linge.
Il venait d'arriver en vue de Kazeroûn, lorsqu'il
aperçut deux hautes collines, dont il demanda le
nom, en ajoutant :
— Je puis le dire ! La vie est pleine d'imprévu...
— Voyons, lui répondit quelqu'un, n'as-tu
jamais entendu parler du Défilé des Turcs ?

À ces mots, le marchand frissonna d'épouvante, puis il cria au nègre qui escortait son bagage :

— Nous faisons demi-tour !

CINQUANTE-DEUXIÈME HISTOIRE
La soif

Un homme, qui était sur le point de mourir de soif, s'écria :

— Combien j'envie celui qui se noie !

Un ignorant lui dit :

— Mourir de soif ou mourir noyé est, il me semble, même chose...

Le moribond répliqua :

— Que ne puis-je m'abreuver au fleuve vers lequel je crie ! L'infortuné que la soif dévore a la ressource de se jeter dans un lac : il meurt, mais il ne souffre plus.

Amants heureux, retenez par sa robe votre douce bien-aimée ! Si elle vous demande le sacrifice de votre vie, n'hésitez pas : faites-lui ce modeste présent.

*

Au festin de l'amour, seuls se délectent les amants qui tiennent leur coupe d'une main ferme !

CINQUANTE-TROISIÈME HISTOIRE

La réponse du papillon

Un passant dit à un papillon :

— De tout cœur, je te souhaite d'être heureux en amour ! Hâte-toi de voler vers les fleurs qui t'accueillent avec plaisir... mais garde-toi de voler vers les flambeaux. Te crois-tu digne de devenir l'amant de la flamme ? L'amour est un combat qui demande un rare courage. Vois la chauve-souris... elle n'affronte pas le soleil ! Il est fou de s'attaquer à un ennemi que l'on sait invincible. Il est encore plus fou d'aimer une jeune fille qui vous déteste. Tu peux tenter l'aventure, mais je ne te plaindrai pas, si tu succombes. Comment veux-tu qu'une flamme, qui a l'honneur d'éclairer un sultan, condescende à te regarder ? Au sultan, la flamme réserve sa lumière ; à toi, insensé, elle réserve ses morsures !

Voici quelle fut la réponse du bouillant papillon :

— Il m'est bien indifférent de brûler ! Le brasier que j'ai dans le cœur est pareil à celui qu'Abraham piétina, et, pour moi aussi, la flamme du flambeau ne sera qu'un lit de fleurs. Je reconnais que je ne trouble guère le repos de cette flamme... Par exemple, elle trouble le mien jusqu'à la folie. Elle m'attire, elle me happe. Certes, je lui résiste, mais vainement. Mon désir est plus fort que ma volonté. Passant ! ne me reproche pas d'aimer une belle, pour qui je vais mourir avec joie ! Épargne-

moi tes conseils. Au cavalier dont le cheval
s'est emballé, on ne crie pas : « Modère ton
allure ! »

CINQUANTE-QUATRIÈME HISTOIRE
La défaite

Un de mes amis, qui habitait Ispahan, comptait
parmi les guerriers les plus courageux et les plus
redoutables. Du sang de ses ennemis, il avait rougi
souvent ses armes. Les flèches qu'il lançait auraient
pu atteindre la constellation Azrâ... Le rosier a
moins d'épines qu'il ne hérissait de traits les boucliers de ses adversaires. D'un seul coup de lance, il
pouvait percer le casque et la tête d'un combattant.
Pour ce terrible cavalier la vie d'un homme ne comptait pas plus que celle d'un moineau. Il n'avait pas
son pareil. Cependant, il appréciait les sages... C'est
vous dire qu'il me chérissait.

Je fus contraint de quitter Ispahan, où je ne
trouvais plus à gagner ma vie, et j'arrivai en Syrie,
cette contrée que Dieu a favorisée. Là, tour à
tour, l'espérance et le doute, la joie et la tristesse
enchantèrent et assombrirent mes jours. Bref, rassasié des douceurs de ce pays, vaincu aussi par la
nostalgie de mes montagnes, à nouveau je me mis
en route.

Une nuit que je méditais sur mon aventureux
passé, le souvenir de mon noble ami me poignarda
le cœur. Sans tarder, je partis pour Ispahan, afin
de le revoir.

Lorsqu'il parut devant moi, ma surprise fut extrême. C'était maintenant un vieillard. Comme la neige couronne une montagne, des cheveux blancs couronnaient sa tête ; mille rides striaient ses joues ; et il n'avait plus sa haute stature. Le Destin, de son poing de fer, avait écrasé mon ami, qui ne savait plus que gémir, le menton dans sa poitrine.

— Vaillant guerrier, terreur des lions, quelle maladie a donc fait de toi un renard perclus par les ans ? lui dis-je.

Il eut un sourire triste, et répondit :

— Hélas ! Hélas ! Je suis dans cet état depuis la grande bataille que nous avons livrée aux Tartares. Écoute. Dans la plaine, les lances ressemblaient à des milliers de roseaux qu'auraient incendié nos rouges étendards. Je renonce à te décrire la mêlée, les nuages de poussière... Je bondissais, je frappais. Mais Dieu m'avait abandonné ! Mon casque et ma cuirasse ne me protégeaient plus, et le cercle des assaillants se rétrécissait ! Lorsqu'un guerrier a égaré les clefs qui ouvrent les portes de la Victoire, son courage ne lui est plus d'aucun secours...

L'ennemi était invulnérable comme l'éléphant. Nous lançâmes au galop nos rapides chevaux arabes, et le choc eut lieu, avec le même bruit que ferait le ciel en s'écroulant sur la terre. Les armes fulguraient dans la poussière, comme les étoiles scintillent dans un firmament ouaté de nuages. Incapables de décocher nos dernières flèches, nous tombions par grappes pourpres... La Défaite venait de nous montrer son visage sinistre, et nos

boucliers ne nous protégeaient plus contre les jave-
lots du Destin !

CINQUANTE-CINQUIÈME HISTOIRE
La résignation

Un homme et une femme, aussi beaux l'un que
l'autre, venaient de se marier. Mais ce couple
était loin de goûter un bonheur sans mélange.

Lorsque la femme souriait à son mari, celui-ci
détournait la tête ; lorsqu'elle s'était ingéniée à se
parer et à se parfumer, l'autre suppliait Dieu de le
faire mourir.

Un jour, quelques sages de la ville mandèrent cet
homme et lui dirent :

— Du moment que tu n'aimes pas ta femme,
rends-lui sa dot et sa liberté.

— Moyennant cent moutons, retrouver la paix...
l'avantageuse chose ! s'écria le gaillard.

Mais la femme se déchira le visage et gémit :

— Il m'est impossible de me séparer de mon
mari, me donnerait-il mille moutons !

À un homme qui était fou d'amour un sage
demandait s'il préférait aller au ciel ou en enfer. Il
répondit : « Pourquoi me poser une telle question ?
Je désire aller là où sera ma bien-aimée. »

CINQUANTE-SIXIÈME HISTOIRE

Le secret

Un soir que j'étais assis près de la fontaine Azmeh, je surpris cette conversation entre deux jeunes filles. L'une disait à l'autre :

— En vérité, je ne m'explique pas pourquoi ma mère me recommande toujours de m'éloigner des hommes qui me contemplent. Pourrais-tu me renseigner sur ce que j'ai à craindre de leur part ?

Son amie lui répondit :

— Ma mère me donne aussi le même conseil, mais elle tient surtout à ce que j'évite les hommes qui ne me regardent pas. Autant que toi, j'ignore les raisons que peut avoir ma mère...

Je me levai alors, et je dis à ces jeunes filles :

— J'avais décidé de ne pas vous respirer de plus près... Cependant, il est nécessaire que je me rapproche de vous, car le papillon s'enfonce dans le calice des roses, lorsqu'il veut leur parler de l'amour.

— Nous t'écoutons, firent-elles, rieuses.

Mais l'une avait des petits seins trop beaux, l'autre avait des jambes trop parfaites, et, pour la première fois, ma parole hésita. Enfin, comme la nuit venait de tomber et comme l'une de ces jeunes filles s'était mise à faire ses ablutions, j'attirai l'autre sur mes genoux et lui dis :

— Ta mère t'a seulement recommandé de t'éloigner des hommes qui te contemplent... Il serait bien long de t'expliquer pourquoi. Le philosophe le plus savant et le moins bavard ne réussirait pas à t'éclairer là-dessus avant que ton amie sorte de l'eau. Conviens cependant qu'il m'est impossible de voir ton visage et que tu ne désobéis pas à ta mère...

— J'en conviens, dit-elle.

Il y eut un doux silence. Ses soupirs résonnaient dans la nuit amoureuse.

Lorsqu'elle s'échappa de mes bras, elle cria à son amie :

— Regrette que ta mère t'ait recommandé d'éviter les hommes qui ne te regardent pas ! La nuit, ce soir, est obscure, et Saâdi ne sera plus là demain matin...

CINQUANTE-SEPTIÈME
ET DERNIÈRE HISTOIRE
La question

Daniad, un jour, me dit :

— Toi qui as beaucoup voyagé, pourrais-tu me dire si, dans tous les pays, les jeunes filles qui aiment ont à subir, comme à Chirâz, les remontrances de leurs parents ?

Et Daniad, pour attendre ma réponse, se mit à tourmenter la branche de lilas qui ombrageait nos têtes. Cependant, je m'aperçus qu'elle ne laissait pas de se réjouir de l'embarras dans lequel sa question me mettait.

À la vérité, je ne me suis jamais préoccupé des inquiétudes que pouvaient avoir les parents des

jeunes filles que j'appréciais. Je l'ai dit, ou je le
dirai : il faut cueillir la pêche sans se soucier de
l'opinion du pêcher... Les parents d'une belle jeune
fille, les parents d'un beau garçon oublient trop
facilement qu'ils ont été jeunes et que leur enfant
chéri, souvent, est né avant que le cadi ait enre-
gistré leur mariage. Je pourrais épiloguer sur les
dons de beauté que reçoivent, la plupart du temps,
les enfants qui viennent au monde sans l'autorisa-
tion du cadi, mais ceci m'entraînerait trop loin et
j'ai peur que Daniad s'impatiente jusqu'à casser la
branche de lilas...

— Ô Daniad, pêche dorée qui es la gloire de
mon verger, sans doute j'ai beaucoup voyagé et
j'ai connu beaucoup de jeunes filles qui aimaient.
Toutes ne me l'ont pas dit, pourtant je m'en suis
aperçu, car une jeune fille amoureuse, tu le sais,
respire l'odeur d'un thyrse de lilas avec une fréné-
sie particulière. Et ces jeunes filles avaient à
subir, comme à Chirâz, les remontrances de leurs
parents. Dans nos jardins, les roses n'ont-elles pas
quelquefois à subir les morsures des bises gla-
ciales ? Elles courbaient la tête, puis elles allaient
se réchauffer aux yeux de leur bien-aimé...
Regarde-moi, Daniad !

SENTENCES

Écoute avec attention ce que te dit Saâdi. Ses remarques et ses conseils te seront profitables.

Une seule perle a souvent plus de valeur qu'un monceau de perles.

Ô roi! si tu tiens à ton bonheur, veille sur celui de tes sujets.

Les soupirs d'une veuve peuvent provoquer des désastres terribles.

Accueille avec bonté les étrangers et les voyageurs. Ta renommée dépend d'eux.

Accorde ta confiance à l'homme qui craint Dieu, et méfie-toi de l'homme qui ne craint que le sultan.

Lorsque les voleurs vivent en mauvaise intelligence, la caravane n'a rien à redouter.

Pardonne aux hommes que tu as punis.

Si tu es roi, fais pour ton peuple ce que Dieu a fait pour toi.

Avant de bander ton arc, réfléchis. La flèche lancée, il serait trop tard.

Puissants de la terre ! ne vous laissez pas aller à aimer une femme passionnément.

Pour embraser une forêt, une étincelle suffit.

Meurs de faim, mais ne vis pas aux dépens des pauvres !

Le peuple est un bel arbre fruitier que l'on doit soigner si l'on veut qu'il produise des fruits.

Avant de vaincre par le sabre, essaie de vaincre par la persuasion.

Ne dors jamais trop profondément. Il faut que tu puisses entendre la faible voix de l'homme qui crie : « Justice ! »

Si un chien te mord, ne t'en prends qu'à son propriétaire.

Lorsque tu es agréablement couché dans l'ombre fraîche de ton harem, donne au moins une pensée aux malheureux qui errent par les rues brûlantes.

Si ta fortune est immense et si tu es encore avide de posséder, va mendier humblement, accepte les rebuffades, et tu reviendras riche de ton salut éternel.

Si tu as semé un chardon, n'espère pas voir pousser un jasmin.

L'homme qui tombe ne réussit pas toujours à se relever.

N'attache de prix qu'aux trésors que tu pourras emporter avec toi dans le Paradis.

Le conseil que tu reçois d'un villageois ignorant vaut souvent toutes les leçons des philosophes.

Ne demande la vérité qu'à tes ennemis.

Un grand roi doit avoir à cœur de protéger les guerriers et les savants.

Les soldats mal payés et mal nourris sont rarement braves.

Un chef doit dormir tout habillé.

Ne méprise pas un obscur adversaire, car la goutte de pluie fait les torrents.

Si tu veux que Dieu jette un voile sur tes fautes, habille des pauvres.

Les sommes d'argent que tu donnes à tes amis, mesure-les à leurs besoins et à leur sagesse.

Ne punis pas trop sévèrement ton esclave. Sais-
tu si, un jour, il ne deviendra pas ton maître ?

Tu me demandes ce que cherchent les saints derviches qui parcourent le monde ? Ils cherchent un
juste.

Dieu t'a formé de limon. Sois humble comme
la terre.

Le cavalier le mieux monté n'est pas toujours
celui qui sort vainqueur du tournoi.

La plus belle natte de roseau n'a pas le mérite
d'une tige de canne à sucre.

Le hanneton qui est juché sur une rose est encore
un hanneton.

Ce chat que tu caresses mangera ta colombe.

Si tu donnes un verre d'eau à un homme qui
n'en est pas digne, grave sur de la glace la récompense qu'il t'a promise.

Le tumultueux torrent qui descend des montagnes va se perdre dans les ravins, mais la plus modeste goutte de rosée est aspirée par le soleil qui l'élève jusqu'aux étoiles.

Tu peux recoudre le manteau du Mensonge et de la Ruse, mais tu ne le vendras pas à Dieu.

Si tu as dans ta poche un flacon rempli de musc, tu n'as pas besoin d'aller chanter cela partout. Le parfum du musc parle pour toi.

La seule richesse est celle qui consiste à savoir dompter ses désirs.

Le tigre et le rat qui tombent dans un piège sont aussi ridicules l'un que l'autre.

Si tu souffres, sois patient et espère. Le jour ne naît-il pas de la nuit ?

Je compare ton cœur à une ville où les justes et les méchants vivent pêle-mêle. Tu es le sultan de cette ville, et ton vizir est la raison.

Comme une montagne solitaire, vis dans la retraite, dans le recueillement, et ton front touchera le ciel, comme la cime de la montagne.

Si le sage demeure silencieux, c'est parce qu'il sait que la bougie se consume par sa mèche.

Le délateur est la plus méprisable des créatures.

Serais-tu riche comme Karoûn, fais apprendre un métier à ton fils.

Si ta femme va souvent se promener au bazar, bâtonne-la sans pitié, sinon résigne-toi à vivre au fond du harem, comme une femme.

Ta femme ne pourra sortir de chez toi que le jour de son enterrement.

À chaque printemps nouveau change de femme, car les calendriers anciens n'ont plus de valeur.

Cueille les roses sans te soucier de leurs épines.

Consacre tes loisirs à essuyer la poussière qui ternit le miroir de ton cœur.

À quoi bon frictionner avec de l'huile de santal la blessure d'un homme qui agonise ?

Lorsque tu te prosternes vers La Mecque, oublie que tu existes.

Les beaux fruits que le jardinier offre au sultan, il les a cueillis dans les jardins du sultan.

Dès que tu as renversé une ruche d'abeilles, fuis !

Si tu te rends compte que la Vérité est sur le point de se dévoiler pour toi, ne t'enorgueillis pas.

Ton corps est une merveilleuse prairie qu'arrosent les canaux de tes veines.

Ne pleure pas sur les morts, qui ne sont plus que des cages dont les oiseaux sont partis.

Ne laboure qu'avec respect : la terre est faite des yeux, des lèvres, des joues de tous ceux qui aimèrent ici-bas.

N'essaie pas de courir si tes épaules sont char-
gées du poids de tes péchés. Le portefaix ne songe
pas à lutter de vitesse avec le cheval.

Si ton cœur est plein de perles, imite l'huître,
ferme bien ton cœur.

Une femme te fait souffrir? Demande à une
autre femme de te consoler. Mais, si la femme qui
se joue de toi est incomparablement belle, sois-lui
fidèle, si tu n'es pas certain de pouvoir l'oublier.

Amant déçu, ne te désespère pas! Dieu te reste.

PRIÈRES

PREMIÈRE PRIÈRE

Laissons nos cœurs éclater d'amour et levons nos mains vers le ciel, car, bientôt, nos cœurs ne battront plus, et la terre, de tout son poids, pèsera sur nos mains.

Cet arbre que tu vois, le vent de l'hiver l'a dépouillé de ses feuilles. Comme un suppliant, il hausse vers la nue ses branches. Le ciel écoute la prière de cet arbre, qui recevra, au printemps, une robe de feuilles et de fleurs. La Providence, ensuite, le chargera de fruits.

Si tu veux bien te repentir de tes fautes, mon frère, les portes du Paradis s'ouvriront devant toi, et Dieu te sourira ! Pour cela, dès à présent, avec la ferveur de l'arbre qui demande au ciel de lui envoyer des fruits, lève tes mains vers le ciel !

Seigneur, daigne jeter sur nous un regard de pitié ! Nous sommes d'indignes coupables, mais nous avons confiance dans ta bonté infinie. Pourquoi nous donnes-tu notre nourriture quotidienne ? Nous nous sommes habitués à recevoir

tes faveurs ! Le mendiant peut-il s'éloigner du riche
qui lui fait l'aumône ? Les biens dont tu nous
combles en ce monde nous permettent d'espérer
que tu nous prodigueras des trésors dans les Jardins du Paradis. Maître puissant, toi seul dispenses
toute gloire, toute honte !

Je t'en conjure par ta gloire, ô Seigneur, ne
permets pas que je cède à la tentation du péché,
à sa honte ! Si je dois être puni, ne laisse pas ce
soin à un autre... Si tu m'élèves, aucun homme
ne m'abaissera, et si tu me baignes de ta lumière,
j'éblouirai le soleil !

DEUXIÈME PRIÈRE

Seigneur, ne me refuse pas ton secours, car personne ne m'aiderait ! Si tu me chasses, je resterai
couché sur le parvis de ton temple.

Tu vois mes vices et ma honte, tu sais que je ne
puis résister à mes passions... Au nom de tes fils
préférés, je te supplie de permettre que je change
de route.

Seigneur ! par les saintes prières que prononcent
les pèlerins, par la dépouille mortelle du Prophète,
par les hymnes de reconnaissance des guerriers
que tu as fait triompher, par la sagesse des
vieillards, par les chants des derviches, je te supplie de m'épargner de mourir dans une religion
autre que la religion musulmane ! Brandis toujours devant mes pas le flambeau de la Vérité,
défends à mes mains de toucher ce qu'elles ne

doivent pas toucher, et empêche mes yeux de regarder ce qu'ils ne doivent pas voir ! Devant ta majesté, ta splendeur, je n'existe pas. Mais, si tu me regardes, j'existe aussitôt !

Table 101

COLLECTION FOLIO 2€

Dernières parutions

Composition IGS-CP
Impression Novoprint
à Barcelone , le 8 janvier 2013
Dépôt légal : janvier 2013

ISBN 978-2-07-045062-6./Imprimé en Espagne.

248346